ERIC STANDOP

Lectura del rostro

Cómo los gestos faciales
nos delatan

EDICIONES OBELISCO

Si este libro le ha interesado y desea que le mantengamos informado de nuestras
publicaciones escríbanos indicándonos qué temas son de su interés (Astrología,
Autoayuda, Cábala y Judaísmo, Naturismo, Espiritualidad, Tradición...)
y gustosamente le complaceremos.

Puede consultar nuestro catálogo en www.edicionesobelisco.com

*Los editores no han comprobado la eficacia ni el resultado de las recetas,
productos, fórmulas técnicas, ejercicios o similares contenidos en este libro.
Instan a los lectores a consultar al médico o especialista de la salud ante
cualquier duda que surja. No asumen, por lo tanto, responsabilidad alguna
en cuanto a su utilización ni realizan asesoramiento al respecto.*

Colección Psicología
LECTURA DEL ROSTRO
Eric Standop

1ª edición: octubre de 2015

Título original: *Gesichtlesen. Hände im gesicht. Ihr Geheimnis - Ihre Bedeutung*

Traducción: *Sergio Pawlowsky*
Maquetación: *Marta Rovira Pons*
Diseño de cubierta: *Enrique Iborra*
Ilustraciones: © *Eric Standop,*
© *Richard Pilnick*
© *www.shutterstock.com*

© 2014, Schirner Verlag, Darmstadt, Alemania
(Reservados los derechos)
© 2015, Ediciones Obelisco, S.L.,
(Reservados los derechos para la presente edición)

Edita: Ediciones Obelisco, S. L.
Pere IV, 78 (Edif. Pedro IV) 3.ª planta, 5.ª puerta
08005 Barcelona - España
Tel. 93 309 85 25 - Fax 93 309 85 23
E-mail: info@edicionesobelisco.com

ISBN: 978-84-9111-030-9
Depósito legal: B-23.784-2015

Printed in Spain

Impreso en Gráficas 94, Hermanos Molina S. L.
Polígono Industrial Can Casablancas
Garrotxa, nave 5 - 08192 Sant Quirze del Vallès (Barcelona)

3 3090 02051 5641

Introducción

Una pregunta frecuente que se suele hacer a los «lectores faciales» es si «leen» exclusivamente la cara y los rasgos faciales de una persona o si también tienen en cuenta otros aspectos, como por ejemplo la apariencia, la manera de moverse o la voz. La gente piensa a menudo que los «lectores faciales» se concentran únicamente en la información que transmite la cara y dejan de lado todo lo demás, por considerarlo carente de significado.

La pregunta no es descabellada, pues en los últimos decenios se ha producido también una especialización en el ámbito de la lectura facial: la concentración estricta en determinadas áreas temáticas permite una fidelidad al detalle que se nutre del deseo de perfección, lo que sin embargo lleva una y otra vez a perder de vista el conjunto, es decir, la persona como tal. Y esto es precisamente lo que no pretende la lectura facial. Un lector facial que se interese realmente por todas las técnicas disponibles tratará siempre de obtener el máximo de información posible. Es la única manera de que su «juicio» haga justicia a la imagen que le quiere transmitir otra persona con su apariencia y no sólo con la palabra hablada. Es la única manera de comprenderle realmente. Y ¿cuál es, aparte de la cara, el instrumental más preciso del lenguaje corporal de una persona? Las manos.

Piensa por un momento en cuántas veces a lo largo del día te tocas la cara, te acaricias la barbilla o te llevas la mano a la frente. ¿No sueles pasarte las manos por el cabello o tirarte de los pelos con la misma naturalidad con la que te pellizcas el lóbulo de la oreja, te frotas la nariz o te rascas ocasionalmente la mejilla? La cuestión es si estos movimientos de las manos en relación a la cara y sobre la misma son realmente puros reflejos, meras reacciones a estímulos externos que imitamos consciente o inconscientemente. ¿Se deben realmente tan sólo a condicionamientos culturales y no revelan absolutamente nada sobre el estado emocional de la persona ni sobre sus propósitos o su personalidad?

Los lectores faciales contestan que no, pues nada ocurre por casualidad y nada cambia sin motivo. Nuestros pensamientos y nuestra percepción que se derivan de las «vivencias» de los sentidos se manifiestan de modo impresionante a través de nuestro lenguaje corporal, como cuando entrecerramos los ojos, fruncimos la nariz o nos frotamos las manos… Así, nuestros rasgos faciales, es decir, los ojos, labios, orejas, nariz, frente, cabello, barbilla, surco subnasal y mejillas, son muy comunicativos: junto con las marcas visibles en su superficie, como arrugas, cicatrices, lunares, alteraciones cutáneas, sudor, sombras y decoloraciones, nos facilitan datos importantes que no tenemos más que interpretar, cosa que por supuesto también se aplica a todos nuestros actos y contactos alrededor de la cara que efectuamos con las manos.

Por tanto, el dónde y el cómo nos tocamos la cara expresan muchas cosas. No sin razón, las manos son, junto con el rostro —a menos que intervengan motivos de orden religioso, cultural o meteorológico—, partes del cuerpo que no solemos cubrirnos. No las escondemos y por eso están fácilmente a la vista y nos son muy útiles para comunicarnos. Lo que pasa es que a menudo no somos conscientes de lo que queremos comunicar y, además, atendemos más a lo que dice nuestro interlocutor que a sus gestos y ademanes. Damos más peso a las palabras, pues aparentemente nos transmiten más contenido racional: no hace falta que las «traduzcamos» para comprenderlas, pues las situamos directamente en el contexto correspondiente. Sin embargo, aunque sea cierto que las palabras nos transmiten muchas cosas, por desgracia, no siempre se pronuncian, y si llegan a pronunciarse no podemos estar seguros de que correspondan a la verdad.

Las manos en la cara de una persona son mucho más fiables, sobre todo cuando las combinamos con los rasgos y los gestos de una persona. Así, por ejemplo, ¿dónde se rasca primero una persona, en el mentón o en la nariz? De este modo

accedemos a otro plano de comunicación adicional, con lo que nos convertimos en «bilingües».

No cabe duda de que en ocasiones los gestos de una persona vienen marcados por su ámbito cultural, aunque no se trata más que de casos excepcionales. Así, por ejemplo, no se te ocurra nunca pedir en un *pub* inglés dos cervezas con los dedos índice y corazón extendidos, pues ese gesto se interpreta como una provocación agresiva. Es mejor hacer la señal extendiendo el pulgar y el índice, cosa que a su vez es muy poco habitual en las zonas de habla alemana.

La mayoría de diferencias culturales se dan en los gestos que realizamos conscientemente, como por ejemplo el dibujo de un círculo juntando las puntas del pulgar y el índice. Esta señal significa en Europa «todo perfecto», mientras que en buena parte de Asia se interpreta como un insulto. La mera diferencia demuestra que este gesto no tiene nada

en común con los que se efectúan inconscientemente. Los gestos inconscientes se producen con idéntico significado en cualquier lugar de este mundo. En todo caso, si existe alguna diferencia en el plano inconsciente, ésta se da sin ninguna duda entre el hombre y la mujer, es decir, entre los dos sexos. Así, las mujeres se pasan las manos por los cabellos con mucha mayor frecuencia que los hombres, que a su vez prefieren tocarse la nariz o llevarse las manos a la nuca. Las mujeres suelen jugar más con los lóbulos de las orejas o con los pendientes, mientras que los hombres se rascan más a menudo la barbilla. Todos estos gestos se producen de modo inconsciente y, por tanto, vienen determinados exclusivamente por nuestras emociones y propósitos. Por eso, la combinación de manos y cara, que son las partes del cuerpo más expresivas, puede encerrar más información.

Nuestros gestos faciales, que son ejecutados por los 43 músculos que tenemos en el rostro, delatan nuestro estado emocional, nuestras intenciones y nuestra actitud. No es extraño que sea especialmente la psicología la ciencia que más se interese por esta cuestión. Actualmente, los interesados ya pueden estudiar en la Escuela de expresiones faciales (Micro Expressions Reading) de la Universidad de California en Berkeley. Sin embargo, nuestras manos no son menos complejas: están formadas por 27 huesos, es decir, casi un cuarto de todos los huesos del cuerpo humano. También es notable su musculatura, que no es más que una «prolongación» a base de numerosos tendones de la musculatura del antebrazo, que comprende 33 músculos. En la palma de la mano, en cambio, sólo hay músculos menores, siendo el más fuerte el del lado del pulgar. Puesto que cada uno de los músculos del cuerpo humano tiene una finalidad y quiere ser utilizado, la compleja estructura de la mano invita, por así decirlo, a la mente a manifestar las distintas formas de expresión y subrayar o por lo menos insinuar nuestras emociones o intenciones.

A menudo utilizamos las manos sin pensarlo y sin saber qué comunicamos con ellas más allá del plano racional. Por eso, la persona que ha aprendido a percibir conscientemente esos signos, a clasificarlos y en la medida de lo posible a combinarlos con los gestos faciales del interlocutor tiene una ventaja clara. De ahí que el lector facial se pregunte siempre: ¿qué hace la persona con las manos? ¿Las tiene reposando sobre los muslos? ¿Golpetean nerviosas con los dedos sobre la mesa? ¿Se agarran a los apoyabrazos, o se entrelazan los dedos, se frotan una con otra o se cierran en puños? De este modo facilitan información sobre las emociones y la sinceridad de una persona o, por lo menos, sobre su estado de ánimo instantáneo. Le revelan la actitud del interlocutor en su fuero interno y sus intenciones.

Claro que al lector facial también le interesa el aspecto de las manos, pues como ya debes de saber, no se omite ninguna información. La estructura, la superficie, la longitud de los dedos y de la palma revelan por ejemplo muchas cosas sobre la personalidad de cada uno. Los bultos, granos e irritaciones de la piel delatan a su vez su estado de salud.

Sin embargo, los lectores faciales no son quirólogos o lectores de manos, por mucho que se suela asimilar unos a otros. En realidad, se dedican a temáticas parecidas: un quirólogo pretenderá obtener datos sobre la personalidad o el estado de salud de una persona por los rasgos característicos de sus manos, cosa que también se solapa con la tradición china de la quiromancia o adivinación del futuro mediante la lectura de manos. Sin embargo, a los lectores faciales no les parece suficiente atender «sólo» a las manos, pues para ellos la clave del conocimiento de la persona reside en el conjunto de la misma. No se limitan únicamente a uno de los aspectos, sino que combinan, relacionan y comparan. Los gestos y los rasgos de la cara y todos los ademanes y posturas concomitantes tienen para ellos un significado global.

Todos estos aspectos encierran para el lector facial un mensaje que también tú puedes aprender a leer con el fin de conocer y comprender mejor a tu interlocutor. Por eso me alegraría que este libro te animara a observar más atentamente a las personas que te rodean y los gestos que hacen para interpretarlos. Este libro quiere ser sobre todo un manual prác-

tico, de modo que no hace falta que reflexiones mucho sobre su contenido. Dedícate a observar con atención a los demás. Fíjate en cada gesto, en particular cuando se acerca una mano a la cara, y recuerda que nada ocurre por casualidad.

Definiciones

LENGUAJE CORPORAL

El lenguaje corporal es una forma de comunicación no verbal que se manifiesta a través de los movimientos conscientes o inconscientes del cuerpo humano. En opinión de los psicólogos, incluye los ademanes, los gestos faciales y el porte, es decir, todo, desde el apretón de manos hasta la postura al sentarse, la posición de los brazos, las piernas y los pies, el juego con las manos, los dedos y los objetos, la postura de la cabeza y las distintas formas de establecer contacto ocular hasta el comportamiento distante. El lenguaje corporal determina en buena medida la comprensibilidad y efectividad del lenguaje hablado.

Señales inconscientes del cuerpo

La mayoría de señales del lenguaje corporal consisten en gestos inconscientes con los que reacciona el cuerpo durante una conversación o ante un sentimiento. Las noticias positivas y negativas, por ejemplo, provocan gestos inconscientes que simbolizan sentimientos sinceros y auténticos, como por ejemplo taparse los ojos con las manos o levantar los brazos

El autor del libro adopta en la fotografía una postura aparentemente relajada, sin embargo en realidad las manos entrelazadas están sujetando las piernas y eso nos indica algo. En realidad, este hombre quiere seguir su camino y que no le retengan más, tal vez para abordar el siguiente proyecto, pero se sujeta de modo inconsciente las piernas porque la razón le dice que permanezca sentado, que ahora toca la sesión fotográfica.

Señales conscientes del cuerpo

Entre las señales conscientes del cuerpo se incluyen todos aquellos ademanes y movimientos que se emplean adrede con un fin muy concreto. Por ejemplo, una sonrisa, una mirada con intención, una «cara de póquer» inexpresiva, un fuerte apretón de manos, una postura erguida u otras reacciones como por ejemplo decir que «sí» o bien decir que «no» moviendo la cabeza de arriba abajo o de un lado a otro. Todas ésas son señales conscientes del cuerpo.

GESTOLOGÍA

La gestología describe la comunicación que efectuamos con los brazos, las manos y la cabeza. Los humanos utilizan los movimientos de estas partes del cuerpo para sustituir total o al menos parcialmente o apoyar el lenguaje hablado en determinadas situaciones. Los gestos forman parte de la comunicación no verbal que nos acompaña en el día a día y que empleamos continuamente. Sin embargo, también tienen una gran importancia mental: pueden indicar qué está pensando una persona en un momento dado y cuáles son sus sentimientos en ese instante.

GESTOS FACIALES

En este caso se trata de los movimientos de la cara a través de sus numerosos músculos, que transmiten una idea general sobre el estado momentáneo, la actitud y los sentimientos de una persona. La expresión de la cara viene determinada principalmente por los ojos y la boca, que son las partes móviles del rostro. Los gestos faciales ponen de manifiesto un determinado sentimiento (alegría, miedo, tensión), sirven para transmitir un mensaje (interés, comunicación entre el bebé y mamá y papá) y revelan aspectos sobre ciertos rasgos peculiares de una persona (carácter dinámico o apático, por ejemplo). Por otro lado, también son bastante imprevisibles y en cualquier momento pueden cambiar en un abrir y cerrar de ojos.

PORTE

Para comprender mejor a una persona también juzgamos consciente o inconscientemente su porte. Este término se refiere al «modo de gobernarse y portarse en conducta y acciones» y a la «buena o mala disposición de una persona» (Diccionario de la Real Academia de la Lengua Española). Incluye su apariencia y su trato, que a su vez nos permiten deducir los rasgos de su personalidad. Sin embargo, los lectores faciales pueden prescindir de este aspecto, que viene marcado en gran medida por el entorno cultural y, además, suele utilizarse asimismo para aparentar ciertos rasgos de carácter.

POSTURA

La postura de una persona también nos sirve para juzgarla consciente o inconscientemente. Es el resultado de la acción conjunta de toda una serie de músculos, ligamentos y huesos y determina básicamente la apariencia de una persona. La postura es un medio ideal, al igual que el ya mencionado porte, para ocultar un estado emocional, razón por la cual muchos lectores faciales apenas le dan importancia. En el diagnóstico facial, es decir, la lectura de enfermedades en la cara, la postura del cuerpo constituye un aspecto complementario. Hay problemas posturales que permiten deducir, por ejemplo, la existencia de diversas afecciones. En este contexto cabe citar en particular la espondilitis anquilosante, la cifosis juvenil y la escoliosis.

IMPORTANCIA PARA LA LECTURA FACIAL

Mientras que la mayor parte de los seres racionales que son los humanos creen que prestan mucha más atención al contenido de las palabras que a la apariencia de quien las pronuncia, la psicología científica sabe desde hace tiempo que inconscientemente efectuamos una evaluación muy distinta. El psicólogo estadounidense Albert Mehrabian (Universidad de California en Los Ángeles) ya publicó en 1971 un estudio que indica que el efecto y la evaluación de un mensaje depende de tres factores determinantes: el contenido de la palabra hablada no merece más que el 7 por 100 de nuestra atención, mientras que la oratoria se lleva el 38 por cien y el lenguaje corporal el 55 por 100, con lo que según Mehrabian este último es el aspecto al que más atención prestamos.

Aquella publicación sigue causando actualmente controversias entre los expertos, si bien entre un estudio y otro las variaciones porcentuales son mínimas: a fin de cuentas, es irrelevante si es un 7, un 9 o un 12 por 100. El caso es que, por lo visto, atribuimos más importancia a las palabras que la que poseen realmente. Pensemos simplemente en los interrogatorios, las vistas judiciales o las entrevistas en relación con una oferta de empleo. En todos estos casos se registra hasta el último detalle todo lo que se ha dicho, pero nada sobre la postura, los gestos y los ademanes que han acompañado a las palabras, y son precisamente estos componentes los que determinan la evaluación final.

Para los lectores faciales (*face reader*, en inglés) de todas las culturas, el peso relativo de cada uno de los citados componentes no influye para nada. Todos intervienen y tienen su importancia, y sin duda los gestos faciales son determinantes a la hora de descubrir el estado emocional momentáneo de una persona. El lenguaje corporal y los ademanes son más bien elementos sumamente útiles o secundarios. Puesto que ambos también están condicionados por particularidades culturales, costumbres y circunstancias de la vida, los lectores faciales suelen utilizarlos de guía o fuente de información complementaria, pero sin considerarlos el único factor a tener en cuenta a la hora de apreciar una situación. Los gestos faciales, en la medida en que a menudo los hayamos considerado auténticos en el subconsciente, no están sujetos a estas limitaciones y, por tanto, se tienen claramente por más fiables. Pese a todo, su combinación con el lenguaje corporal y los ademanes reviste una importancia capital, por ejemplo a la hora de detectar mentiras. En especial la intervención de las manos resulta muy reveladora, sobre todo si se acercan a la cara.

Así que en este terreno se combinan dos enfoques a fin de concretar una técnica eficaz para reconocer los sentimientos y las intenciones de una persona y, por tanto, los lectores faciales no establecen una diferencia estricta entre los gestos faciales y los ademanes. Dan más importancia a lo que une a ambos.

El significado de
las manos
en la cara

MANOS EN EL CUELLO

Cuando la mano agarra el cuello o la garganta se habla de un «gesto de manos en el cuello». Es un gesto que en todos los ámbitos culturales no transmite en modo alguno un mensaje positivo o simpático. En el subconsciente, la persona en cuestión quiere llevarse la mano a la cara, pero se detiene bruscamente tan pronto como interviene la conciencia. De este modo, la mano aterriza en el cuello o la garganta o se desplaza acto seguido incluso hacia la nuca, lo que puede suceder de muchas maneras.

Nota: si la mano toca la zona del cuello, quiere decir casi siempre que la persona en cuestión quiere reducir la tensión arterial. Es posible que en ese instante el corazón esté latiendo tan fuerte que se lo note incluso en el cuello. Se acaricia esa zona para tranquilizarse. Es una manifestación de preocupación, temor, afectación, duda o fuertes emociones. Además, puede ser un signo de que se siente amenazada: «¿Quieren mi cabeza?».

Si la mano agarra la garganta, en los hombres es un signo de gran inseguridad o incomodidad. Se sienten prisioneros, en un bucle de espera, como si estuvieran «jugándose el cuello». Algunos incluso se aflojan la corbata, mientras que otros se cogen la zona directamente debajo de la barbilla, pues en este lugar se estimulan muy bien los nervios.

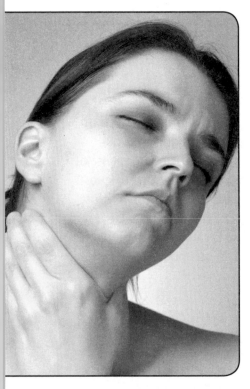

Pero cuidado: a menudo, los hombres reaccionan después con mayor dureza verbal. Las mujeres suelen agarrarse con menos frecuencia el cuello o la garganta. En su caso el gesto es más bien insignificante, casi como si no se notara, muchas veces no es más que un roce. Un sucedáneo es el jugueteo con un collar o el cuello de la blusa. Sin embargo, si a pesar de todo una mujer se lleva la mano al cuello, casi siempre está intentando ocultar algún tipo de información o se siente pillada en un renuncio. Tan pronto vuelve a sentirse cómoda, la mano se aleja de nuevo de la zona.

El gesto de la página 29 simboliza la percepción de una situación crítica: «Ahora la cosa se pone seria». Es como si se cerrara el nudo corredizo de la soga alrededor del cuello. Uno se pregunta: «¿Cómo me libro de ésta?». El gesto es asimismo una señal inconsciente de que se reconoce el error propio, por mucho que la persona en cuestión lo niegue con palabras. Este «aireador» lo utilizan más bien los hombres: el tejido que aprieta es apartado del cuerpo. El afectado se siente sofocado, es posible que realmente tenga dificultades para respirar y tragar y quiere «darse un respiro». La mera insinuación del gesto ya muestra la necesidad urgente de ganar un espacio que se acaba de perder de pronto y de forma totalmente incontrolada. En el mejor de los casos, no indica más que la aparición de una sensación de estrés. Sin embargo, cuanto más vehemente sea el gesto, tanto más delata la incomodidad de la situación.

Las mujeres suelen utilizar este gesto menos a menudo. En los casos en que tienen sentimientos similares tienden más bien a tirarse un poco de la blusa por la parte delantera para «darse aire». También prefieren jugar con los pendientes o el collar, o se pasan la mano por el cabello, lo recogen en la nuca y lo levantan.

Por cierto: si aumenta la tensión arterial, por ejemplo cuando se dice una mentira, puede que el sujeto se ponga a sudar por el cuello, y entonces siente el deseo de liberar un poco esta región y lo manifiesta con este gesto.

MANOS EN LA BARBILLA

En general podemos decir que si no sólo llevamos la mano a la barbilla y la mantenemos quieta, sino que nos acariciamos continuamente el mentón, significa que nos hallamos en un momento de máxima concentración (a menos que sólo pretendamos aparentarlo, en cuyo caso se hablaría de un «gesto de autocomplacencia»). Reflexionamos, sopesamos los pros y los contras, estamos decidiendo. Para los lectores faciales de todas las culturas, la barbilla representa los valores, la moral y los ideales, de modo que si nos acariciamos el mentón es que estamos analizando y contrastando lo que hemos leído, vivido o escuchado con nuestras propias convicciones morales y nuestros valores.

Si el sujeto no sólo se acaricia la barbilla, sino que la frota con varios dedos o incluso con la mano entera, significa que está juzgando el contenido de lo que acaba de escuchar: ¿encaja en su sistema de valores, en su idea de la moral? ¿Es compatible con sus puntos de vista? Además, examina la veracidad de la proposición. Tan pronto deja de frotarse, la decisión está tomada y el proceso de evaluación ha concluido.

Éste es un intento típico de reclamar más atención. La persona hace ver que está escuchando, pero en realidad dice que quiere que se la tenga en cuenta: «¡Toma nota de que estoy aquí!». Esta pose se observa mucho más a menudo en mujeres. Si la emplea un hombre, queda demasiado femenino y es muy probable que no surta efecto, pues confunde excesivamente al interlocutor.

Este gesto muestra que la persona está evaluando ideas, planes y propuestas. En general, podemos decir que si la cabeza se sostiene sola, esto es, si no se apoya en la mano, el interés sigue vivo, pero si es la mano la que sostiene la cabeza, la persona empieza a aburrirse. La cara que pone la persona y el pulgar debajo del mentón, sin embargo, delatan una creciente visión crítica de la situación o de lo que se acaba de decir.

Si la barbilla se apoya en la mano cerrada o incluso en el puño, el gesto expresa aburrimiento. A menudo se acompaña además de una actividad intrascendente de la otra mano, como por ejemplo jugar con un bolígrafo. Muchas personas se ponen a soñar despiertas, en cuyo caso conviene hablarles suavemente, pues de lo contrario podrían asustarse. El gesto suele venir acompañado de una mirada que se pierde en el vacío. Alternativamente también puede aparecer una sonrisa «falsa», artificial, con vistas a ocultar el aburrimiento. A menudo se adelanta la barbilla en señal de desafío. Si la causa del aburrimiento radica en la falta de ocupación o el estancamiento de una situación, casi siempre se tensa la mandíbula de la persona en cuestión. Está procesando algo y los dientes tienen cosas que moler.

Este hombre está pensando en una determinada situación, que puede ser la de este momento u otra anterior, para cuya evaluación todavía necesita tiempo. Tiene las manos pegadas, lo que significa que aún no quieren entrar en acción. Primero hay que sopesar todos los pros y los contras y tener en cuenta todos los factores. Con las manos forma una barrera entre él y su interlocutor, como diciéndole: «No me metas prisa, no me apremies».

Por cierto: una barrera mucho más sutil sería una taza sostenida con las manos y los brazos un poco extendidos hacia delante.

Este gesto de reflexión es más bien de naturaleza positiva. La mano se sitúa debajo del mentón y no tapa la cara. Tampoco sostiene la cabeza, sino que subraya los pensamientos. El puño muy ligeramente cerrado y el índice sobre la mejilla apuntando hacia la oreja indican un interés particular de esta persona.

MANOS EN LAS MEJILLAS

La palma de la mano cubre gran parte de la mejilla e incluso de la oreja y la boca. Es un gesto que denota cansancio, y sobre todo aburrimiento. Lo que la persona acaba de vivir, oír o conseguir le ha consumido demasiada energía y ha llegado el momento de dejar que la mente descanse. Ahora bien, este gesto también puede evidenciar indiferencia: la persona se sujeta la cabeza para no dormirse.

Esta imagen le indica al interlocutor sin ningún género de duda que en este momento no interesa conversar con él. Los ojos y la boca no cuentan más que con un espacio mínimo, no sea que se precisen de todos modos para alguna reacción.

Este gesto manifiesta tristeza: el puño cerrado, que normalmente es un gesto combativo, se acerca a la mejilla (en la lectura facial china *siang mien* se habla de la «almohada del poder») y la cabeza se apoya en él. La mirada se dirige hacia abajo. Surgen malas sensaciones: «¿Quién soy?», «¿De nuevo he fallado?», «¿Por qué siempre sólo me pasa a mí?». Así se expresan el descorazonamiento, la desesperación y a veces la autocompasión.

Cuidado: *la mirada indica si en vez de tristeza lo que hay es sobre todo aburrimiento. Precisamente en esta pose conviene prestar atención especial a los ojos. La tristeza hace que bajemos la mirada, y en este caso el interlocutor no suele poder verlos. De vez en cuando, también se observa una «mirada vacía» en la persona afectada, una mirada perdida en la lejanía. El aburrimiento, en cambio, se manifiesta a través de un cambio continuo de la dirección en que se mira. La mirada va de un lado a otro y busca en el entorno algo interesante o una distracción.*

Este gesto está semioculto, pues el dedo corazón no deja ver el pulgar. Si el mentón se apoya en el pulgar y al mismo tiempo el índice cruza verticalmente la mejilla, el gesto suele confundirse con el siguiente. Para orientarse conviene tener en cuenta la expresión de la cara: en esta variante, la mirada tiende más bien a evitar al interlocutor. Denota discrepancia, la antesala del rechazo. Ahora es cuestión de formular buenos argumentos, pues de lo contrario el interlocutor se pasa al bando contrario o adopta una postura bien diferente.

MANOS EN LA BOCA

En la imagen de la derecha vemos varios dedos delante de la boca: señalizan asombro. Muchas personas utilizan este gesto como signo precursor de una excusa, a menudo una disculpa que al individuo en cuestión le cuesta mucho formular. El gesto también denota inseguridad, ya que todo indica que el interlocutor piensa que «parece que he metido la pata».

Nota: *cuando alguien habla tapándose la boca con los dedos, significa que en realidad no quiere hablar del tema o por lo menos no desea entrar más en detalles. No importa qué palabras pronuncie, le resulta más bien incómodo o incluso embarazoso decirlas. Esta manera de expresarse podría indicar también que la persona en cuestión está mintiendo. Asimismo, cuando alguien pasa un único dedo (casi siempre el índice) sobre los labios o los golpea ligeramente, es señal de que no desea hablar del tema, por mucho que sus palabras expresen lo contrario.*

Si el dedo se desplaza entre los labios abiertos y entra en la boca, este gesto hace que la persona en cuestión –particularmente si se trata de un hombre adulto– parezca más que desvalida. Es precisamente eso lo que nos quiere transmitir el gesto: es una reacción a la presión exterior, expresa malestar. Casi siempre se produce cuando la cantidad de decisiones cotidianas que hemos de tomar es excesiva. Entonces sentimos cierta impotencia y elegimos una típica «pose de comodidad» que conocemos desde nuestra infancia. En su forma más extrema, algunos afectados incluso se chupan inconscientemente el pulgar. Como si dijeran: «No sé nada de nada. No tengo ni idea». Se trata de un gesto infantil que denota debilidad. A menudo se utiliza incons-

cientemente para despertar simpatía, compasión o el instinto protector. Esto puede funcionar en el caso de una mujer, pero si se trata de un hombre, muchas veces hará el ridículo y el efecto será justo el contrario.

A veces, hay quien estira del labio inferior con el índice y el pulgar, en un gesto que a menudo se malinterpreta como un signo de aburrimiento. En realidad, esa persona está reflexionando y trata de «aclararse».

En algunos casos también podría indicar que la persona está pensando en «soltar amarras», es decir, abandonar algo que ha absorbido su atención durante mucho tiempo. Para los lectores faciales que se ocupan de temas relacionados con la salud, el labio inferior está conectado con el intestino. De este modo, el hecho de tirar del labio inferior está orgánicamente relacionado con el acto de «expulsar».

Más difícil, en cambio, es interpretar el gesto en que el dedo «juguetea» con el labio. Esto puede tener un sinfín de causas que sólo pueden dilucidarse, en el mejor de los casos, a partir del contexto. Hay que tener en cuenta factores como la cultura, la situación en que se produce la conversación y la identidad de quienes intervienen en ella, el sexo y la edad, etcétera. Por sí solo, el gesto de «juguetear» con el labio es demasiado impreciso y puede atribuirse tanto a la idea ya mencionada de «soltar amarras» como al aburrimiento o a un proceso de reflexión. Por consiguiente, es un gesto que induce a confusión. Por

mencionar un solo ejemplo: si es una mujer atractiva la que juguetea con el dedo sobre los labios y si está hablando con un hombre, el gesto podría interpretarse como una invitación a iniciar una relación más íntima, pero hay que subrayar el verbo «podría». Para tener más certeza hay que remitirse a otros gestos complementarios, como el de pasarse las manos por el cabello, tocar con la mano repetidamente al interlocutor o tal vez sonreír a menudo.

En el gesto siguiente, el dedo índice hace de puente entre la sien y la boca. Indica que la persona en cuestión está juzgando o evaluando algo. El cerebro o la idea busca el camino hacia la boca, pero todavía no ha llegado el momento de expresar el pensamiento. En esta situación no se suele entrecerrar los ojos, la mirada permanece inmóvil o completamente rígida. La cabeza se inclina normalmente hacia delante, a veces incluso el cuerpo entero. Conviene fijarse en la expresión del conjunto de la cara, que revela más claramente cuál es el sentido de la evaluación, si es más bien crítica o irónica, de rechazo o interesada.

Si aparece el puño cerrado delante de la boca, es de suponer que la concentración es máxima. Lo mismo ocurre con las manos entrelazadas o bien juntas delante de la boca. El gesto hace que la persona mire a su interlocutor de una manera no natural. Es, por tanto, un gesto que provoca malestar o incomodidad en el interlocutor. El puño es agresivo y da a entender que no se está conforme con algo, que se opina lo contrario o que una situación determinada no gusta.

Cuidado: *si las manos están entrelazadas delante de la cara y la mirada está perdida en el vacío, es un signo de gran desamparo; la persona podría sentirse «descartada».*

Si, como ocurre en esta imagen, varios dedos tapan la boca y el pulgar oculta la mejilla o incluso la hunde un poco, se quiere expresar un gran escepticismo. El hombre no acaba de creer lo que le dicen y es posible que opine justo lo contrario. Tan sólo la mente —la cabeza— hace que todavía no manifieste lo que piensa, y por eso la mano mantiene cerrada la boca.

Ésta es una variante un poco menos escéptica: todavía queda margen para un cambio de opinión. Si bien en esta imagen el pulgar también toca la mejilla, la boca se muestra dispuesta a hablar. En el gesto de la página siguiente, el índice cierra la boca, lo que puede deberse a varias razones: por un lado se intenta retener información, mantener la boca cerrada para que no diga nada inconveniente, y por otro se quiere evitar una reacción emocional ante una situación, a menudo, un ataque. No obstante, si el afectado habla mientras hace este gesto, significa que en realidad no opina lo que dice, sino lo contrario. La mente quiere manifestar algo, pero el sub-

consciente desea impedirlo. Además, este gesto también pide silencio, no sólo por parte del interlocutor, sino también de la misma persona que lo hace. Está copiado de los niños. Claro que supone asimismo un posible indicio a la hora de detectar una mentira, aunque en ningún caso es el único rasgo característico.

El hecho de morderse las uñas se interpreta a menudo como una señal de estrés, inseguridad, incomodidad o la presencia de conflictos internos. En este caso, los ojos suelen mirar hacia abajo, evitando el contacto visual con el interlocutor. La «mirada al vacío» también cumple esta función, pero la cosa cambia si los ojos están abiertos y de vez en cuando miran de soslayo a la persona que está enfrente. Esa mirada es una señal de que el gesto está utilizándose conscientemente para mostrar lascivia o aparentar inocencia. La persona en cuestión pretende seducir o apaciguar al interlocutor, y sobre todo confundirle. Una variante menos autolesionante que morderse las uñas consiste en golpetear con los dedos sobre una superficie. Esto no afecta a la boca, sino que en este caso los dedos tamborilean sobre la mesa o los muslos. Este gesto también delata el intento de domeñar una situación de estrés.

Morder un lápiz o un bolígrafo sirve para tranquilizarse uno mismo. Es una reacción a cosas o manifestaciones que han incomodado a la persona. No debe interpretarse tanto como un mensaje al interlocutor, como es el caso, por ejemplo, de cuando uno se lleva una patilla de las gafas a la boca, sino más bien como un gesto personal y de ensoñación.

Éste es un gesto típico de cuando a un niño se le ha escapado una palabra o expresión que no quería decir. Puede tratarse tanto de la revelación de un secreto, por ejemplo, como de la afirmación de una mentira.

Cuando es un adulto quien realiza este gesto (fotografía de la derecha), lo que hace es transmitir una sensación de máximo desamparo en una situación crítica. En estas condiciones no es de esperar una reacción rápida: el afectado necesita ahora tiempo para orientarse en las nuevas circunstancias. Sin embargo, este gesto, si se realiza con cierta teatralidad, puede denotar también la manifestación aparentemente involuntaria de una mentira o la revelación de un secreto, aunque en realidad ese acto estuviera bien calculado.

Cuando alguien esconde la boca con la mano entera o incluso con ambas manos, como se observa en la fotografía anterior, los lectores faciales suelen decir que se trata del «gesto del cuchicheo». Las palabras entonces ya no se entienden bien debido a la interferencia de las manos. La persona en cuestión no quiere que le escuchen ni revelar sus pensamientos. Quiere dejar fuera a otros por cualquier motivo, pues necesita más intimidad, un espacio para refugiarse. Éste es un gesto que utilizan mucho los jefes cuando no quieren ir al grano y revelar su punto de vista. Entonces tratan de regatear, negociar, lamentarse, en suma, el clásico juego del ratón y el gato.

Esta imagen muestra una variante refinada del gesto del cuchicheo: el pulgar presiona sobre la aleta nasal y de este modo desvía hábilmente la atención del tema que en realidad interesa al afectado.

MANOS EN LA NARIZ

Mucha gente considera que hurgarse con el dedo en la nariz es antihigiénico y un signo de mala educación. Si en el caso de los niños lo toleramos a veces sin ningún comentario, el adulto se expone a severas críticas si lo hace en público. Por eso este gesto se evita casi siempre y sólo se lleva a cabo en el ámbito privado. Un ámbito privado típico es para muchos

el automóvil: en él uno se siente seguro y se olvida de lo que ocurre en el entorno. Por eso se ve a menudo cómo algunos conductores se hurgan la nariz mientras esperan delante del semáforo o cuando hay un atasco. Cuando estamos tan «abstraídos», no somos plenamente conscientes, sino que nos regimos por el subconsciente. Si éste es el caso, queremos ir a la raíz de las cosas: queremos saber qué es exactamente lo que está pasando. Nos ponemos a reflexionar sobre asuntos que tal vez nos preocupen ya desde hace meses o años. Vamos a la raíz de la cuestión, en el sentido literal de la palabra.

Casi siempre que nos presionamos con los dedos el hueso nasal tenemos los ojos cerrados. Las personas emplean a menudo este gesto inconscientemente en situaciones en que tienen que tomar decisiones difíciles. Muchas veces se trata también de dirimir conflictos internos, y en ese caso ya no interviene tanto el interlocutor, por lo que este gesto se realiza normalmente cuando la persona está sola o se siente sola. Cuanto más inclinada esté la cabeza, tanto más es señal de que la persona está tratando de resolver un conflicto consigo misma. Algunas de las preguntas típicas en este caso son: «¿Puede eso ser cierto?» o «¿Cómo me he metido en ese berenjenal?».

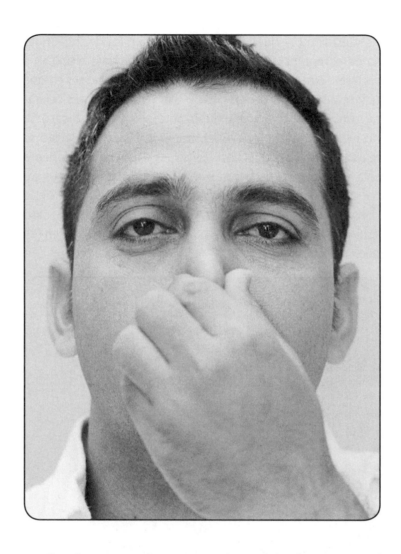

Esta imagen muestra una variante del mismo gesto: al apretar las aletas nasales se cierran los orificios y la persona retiene la respiración durante unos segundos. Es una expresión inconsciente del asombro o de un conflicto interno.

La expresión «tocarse las narices» es común en nuestra lengua y se emplea para referirse a alguien que no tiene nada que hacer. En muchas culturas se relaciona la nariz y el olfato con el trabajo y el dinero, como cuando se dice de alguien que «tiene buen olfato» para los negocios. En inglés existe la expresión «*pay through the nose*» (literalmente, «pagar por la nariz»), que equivale a «pagar un dineral». En China también se relaciona la nariz simbólicamente con la riqueza y el trabajo. La nariz representa asimismo para los lectores faciales el interés material. Cuando un interlocutor se toca la nariz, significa que considera ahora que se está tocando algo fundamental, no algo secundario o insignificante.

Tocarse la nariz también puede consistir en una frotación casi imperceptible con el dedo índice (normalmente). Este gesto indica serias dudas y es la antesala del rechazo. El interlocutor debería aducir ahora argumentos mejores o mostrarse más convincente. Sin embargo, las dudas también pueden ser de orden interno, es decir, ser fruto de la indecisión: «¿Cómo contesto yo ahora a esa pregunta?», «¿Cómo abordo esta cuestión?», «¿Me entiende bien mi interlocutor?». Por mucho que una persona trate de impresionar y ser creíble con sus palabras, si hace este gesto podemos estar muy seguros de que es presa de una gran inseguridad. También es posible que se frote a menudo la nariz para aliviar tensiones, lo que es un

indicio asimismo de que nuestro interlocutor está inseguro y busca alguna otra solución.

Nota: el gesto de tocarse la nariz es muy importante a la hora de detectar mentiras. El «efecto Pinocho» puede ser uno de varios indicios de que nuestro interlocutor nos está mintiendo, aunque en este caso nunca viene solo. Frotarse la nariz nos ayuda a desviar la mirada y al mismo tiempo a taparnos la boca. Cuando una persona miente, aumenta su presión arterial, por lo que la sangre circula con más fuerza en la punta de la nariz y estimula los nervios. Es como una sensación de picor en la nariz, y por eso nos la frotamos. En mi libro *Lügen erkennen, entdecken, entlarven* («Detectar, descubrir y desenmascarar mentiras») me ocupo con más detalle de este fenómeno.

Cuando una persona se pellizca la aleta nasal con el índice y el pulgar, quiere decir que necesita más espacio, más margen de libertad. En este momento se siente enjaulado y no puede respirar. En este gesto también tiene importancia el lado de la nariz que se pellizca: el izquierdo tiene que ver con las emociones y las ideas, y la acción de los dedos en la aleta nasal de este lado revela la limitación emocional, por ejemplo, cuando hay sentimientos no resueltos. El lado derecho, a su vez, remite a los deseos en el ámbito material, es

decir, en asuntos tangibles y lógicos. En este caso, se expresa sobre todo el deseo de gozar de mayor libertad y autonomía, por ejemplo, en el aspecto profesional.

Para los lectores faciales, las aletas nasales representan la vía libre de la respiración. En el diagnóstico facial, una nariz de aletas anchas remite a unas vías respiratorias sanas, siempre que no estén afeadas por pequeñas capilares o un fuerte enrojecimiento. Los fisonomistas son lectores faciales que se interesan por conocer la personalidad de un sujeto. En el caso de esta fotografía resaltarían la voluntad de independencia y el deseo de libertad de este hombre.

La nariz parte de la raíz que se halla entre los ojos y que invita a tocarla, sobre todo con el dedo índice. De esta manera, la persona no se mete el dedo directamente en el ojo, aunque lo acerca mucho. En este caso se trata de la necesidad de «ver claro»: la persona en cuestión se siente confusa porque no llega a ver las implicaciones al no comprender lo que se le propone o porque recibe un exceso de información, de modo que necesita ordenar mentalmente las cosas. Algunas culturas sitúan en este lugar el «tercer ojo», que ve más cosas y sobre todo ve todo más transparente. Al frotar este lugar se intenta estimular esta visión, lo que resalta el deseo de «ver claro».

Por cierto: *si una persona no sólo se frota la raíz nasal, sino el conjunto del hueso nasal, también está interesada en arrojar claridad sobre lo que se está comentando, pero quiere en primer lugar resolver el aspecto emocional. Este gesto se debe a menudo al estrés y a temores reprimidos.*

MANOS EN LOS OJOS

El bloqueo de la mirada es un signo de consternación, incredulidad, perplejidad, duda y discrepancia. Significa que se rechaza una propuesta o la opinión del interlocutor. El gesto es como un escudo protector frente a lo desagradable, lo funesto, lo que no se desea ver en este momento. Aunque no se siente una amenaza inminente, uno prefiere no hacerle frente. Se trata de proteger el cerebro de la visión de las cosas indeseables.

Esta imagen muestra un bloqueo tan sólo parcial de la mirada, pero el gesto no es menos significativo y representa también el deseo de protegerse frente a algo que no se desea. Sin embargo, es menos comprometedor y deja espacio a continuar la comunicación.

En el fondo, el gesto de frotarse los ojos tiene el mismo significado que el de tocarse o frotarse la nariz, a saber: «no entiendo o no quiero entender algo» o «no sé qué responder a lo que me dicen en este momento». Sin embargo, el gesto de frotarse los ojos se acepta más socialmente y se pasa por alto con más facilidad, pues a uno siempre le puede «entrar algo en los ojos». En cambio, frotarse un único ojo indica que se quiere evitar el contacto con el interlocutor.

Cuando alguien se frota el párpado inferior, a menudo lo hace partiendo del lado interior, es decir, de la raíz nasal, hacia fuera. Para ello utilizamos casi exclusivamente el dedo índice, que solemos emplear más con fuerza que suavemente. Este gesto delata no tanto una situación emocional o siquiera algo sobre el carácter de la persona en cuestión, sino que es señal de un incipiente estado de fatiga: «¡Estoy al límite de mis fuerzas!».

El motivo de ello es que tras pasar la noche llorando o festejando nos salen ojeras, que en la persona sana desaparecen en el plazo de un día, pero que mientras tanto queremos aliviar frotándolas. Por consiguiente, este gesto puede significar desde un ligero cansancio hasta una gran fatiga, pasando por una sensación de debilidad. Si se realiza abiertamente delante de otra persona, expresa además el deseo de que ésta perciba el mensaje y se abstenga de insistir en sus pretensiones o exigencias, o simplemente prescinda de sus ganas de hablar.

Nota: si las ojeras duran más de un día, el diagnóstico facial nos enseña que el párpado inferior hinchado (edema) es un signo de debilitamiento de los riñones y de la vejiga, aunque también puede revelar otras posibles dolencias, como una disfunción tiroidea o una enfermedad de la próstata.

Muchas personas prestan atención especial a las cejas: las recortan, depilan y tiñen. Para los maestros chinos de lectura facial, la forma de las cejas revela las convicciones y los ideales de una persona.

Si tenemos en cuenta esto, comprenderemos por qué el gesto de acariciarse inconscientemente las cejas —bien con el dedo índice, bien con las yemas de tres dedos de una mano— se interpreta en nuestro ámbito cultural como un gesto de examen y comprobación: verificamos si lo que acabamos de vivir o aprender se ajusta a nuestras convicciones. Este gesto suele ejecutarse a menudo sin querer, con la mente en otro lado. Además, al situarse tan cerca del cerebro indica una intensa actividad mental.

Nota: *si alguien no se acaricia las cejas, sino que las frota con fuerza y en círculo, podemos estar seguros de que no está comprobando o evaluando lo que acaba de experimentar, tal como se ha señalado más arriba. El gesto de frotarse las cejas indica más bien que esa persona tiene dolor de cabeza o migraña. Al estimular de este modo la región de las cejas, espera aliviar el dolor.*

MANOS EN LAS OREJAS

Si alguien se pellizca el lóbulo de la oreja, significa que desea que le escuchen. Está armándose de paciencia, pues ya le rondan respuestas o reacciones en la cabeza y quiere expresarlas. El gesto de pellizcarse la oreja expresa: «Termina ya, que quiero decir algo al respecto». Ahora bien, con este gesto también se puede indicar que la persona espera que no la interrumpan. En cambio, si sólo se acaricia o masajea el lóbulo, es que pretende tranquilizarse. Se trata de reducir el estrés.

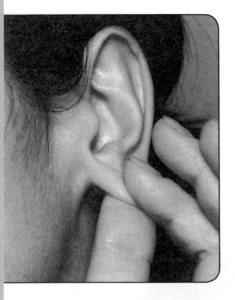

El hecho de tocarse la oreja puede interpretarse como la variante adulta del gesto infantil de taparse las dos orejas. Los niños suelen hacerlo cuando ya no pueden o no quieren escuchar. Si el gesto lo lleva a cabo un adulto, quiere decir que éste se siente expuesto a un exceso de información y desea tomar la palabra. En caso de que repita el gesto o lo sostenga, ojo: esa persona amenaza ahora con volverse rápida o progresivamente agresiva.

Meter los dedos en las dos orejas es una demostración contundente de que la persona en cuestión ya no quiere seguir escuchando. Este gesto es más claro y menos diplomático que simplemente taparse los oídos con las palmas de las manos: mientras que en este último caso todavía queda algún intersticio para la penetración de algún sonido y, por tanto, el autor del gesto se muestra aún un poco abierto, la persona que se mete los dedos en las orejas ya no quiere ni oír hablar del asunto. Es interesante saber que los lectores faciales chinos equiparan esto a la presencia de numerosos pelos en el interior de la oreja: la persona que los tiene en exceso, según los maestros chinos del *siang mien*, suele cerrarse en banda y escuchar únicamente lo que le place y lo que encaja en su visión del mundo.

Meterse solamente un dedo en la oreja está casi tan mal visto como hurgarse en la nariz. En público se considera de mala educación, pues es un acto propio de la higiene corporal, tarea para la que la sociedad moderna tiene previstos otros lugares, como por ejemplo el cuarto de baño.

MANOS EN LA FRENTE

Los lectores faciales atribuyen a cada lado de la cara distintos ámbitos referenciales. Así, el lado derecho tiene que ver con

la lógica, lo material, con lo que se puede tocar y comprender y por esto se denomina el lado masculino. El costado izquierdo representa lo ideal, lo creativo, lo sensible y lo que se siente, por lo que se califica de lado femenino. Por tanto, si alguien se cubre o masajea la frente con las manos, conviene observar en qué lado de la frente lo hace, pues de este modo se pueden averiguar cosas sobre lo que está pensando o lo que siente en ese momento. En esta fotografía, el hombre se frota la sien derecha, en un punto vital. Por tanto, está reflexionando sobre cosas tangibles, materiales, y no desarrollando emociones o sentimientos o pensando en el amor.

Frotarse la frente es una señal destinada más a la propia persona que no al interlocutor. El autor de este gesto está lidiando internamente con algún dilema y esto le hace sentirse mal, y trata de tranquilizarse frotándose la piel de la frente. También puede ser un signo propio de una persona olvidadiza, aunque al mismo tiempo demuestra que no le causa ningún problema avergonzarse abiertamente de ello.

La persona que se golpea la frente tiene mala memoria y no se avergüenza de ello. Lo mismo ocurre cuando, desconcertada, se toca la nuca, un gesto que tiene una interpretación mucho más negativa. El golpe en la frente, en cambio, es más abierto, visible y por tanto merece una valoración positiva por parte de los lectores faciales.

MANOS EN LAS SIENES

Las sienes son una zona muy vulnerable del rostro humano: un golpe en una sien hace que la persona que lo recibe pierda el equilibrio o incluso se desmaye. En el diagnóstico facial o de la mirada, unas sienes hundidas son indicio de una grave pérdida de vitalidad. También un gesto puede señalizar esa falta de vitalidad. Así, la expresión del hombre de la foto revela que en este momento sufre una fuerte pérdida de energía. Inconscientemente, trata de recuperar las fuerzas vitales y el equilibrio frotándose las sienes.

Cuando nos llevamos las manos a las sienes, notamos la pérdida de vitalidad, por lo que en este caso solemos frotarnos esas zonas. Sin embargo, la fotografía de la mujer expresa asimismo otro aspecto: no sólo nota la pérdida de vitalidad, sino que también considera amenazantes determinadas influencias del exterior. Tal vez sean efectivamente éstas las responsables de la pérdida de vitalidad, y por eso la mujer quiere protegerse, reducir conscientemente su campo visual y de este modo eludir cualquier influjo de fuera.

La fotografía del hombre de la página siguiente muestra un gesto muy frecuente. Tocarse la sien con el dedo índice dando pequeños golpecitos o girando el dedo a un lado y otro envía el siguiente mensaje al interlocutor: «a ti te falta un tornillo» o «no estás bien de la cabeza». En este caso, cuando se le dice a alguien que no está bien de la cabeza, también se le indica que dé media vuelta, que no venga con esas maneras, pues de lo contrario saldrá perdiendo o acabará malparado. Al golpetear la sien, el dedo destaca nuestra vitalidad, y por tanto, el precio que tendría que pagar el otro por sus malos modos.

Los pómulos simbolizan el don de mando: cuando más altos y pronunciados se hallen en el rostro de una persona, tanto más los asociamos inconscientemente con poder y autoridad. Estas personas nos parecen más combativas, autoritarias e influyentes. Por eso hay quienes resaltan sus pómulos con maquillaje, mientras que otros se dan golpecitos con el dedo o se pasan los dedos ocasionalmente por la zona en cuestión. La mujer de esta foto también da a entender que quiere ver las cosas claras y comprenderlas y dirigir. Este gesto dice en resumidas cuentas: «Dirijo con mi saber. ¡Yo sé más! Soy una buena observadora!».

MANOS EN EL CABELLO

Ante cualquier tipo de estrés y malestar solemos llevarnos la mano a la cabeza. El cuero cabelludo nos ofrece una superficie donde agarrarnos, alisarnos o peinarnos el cabello con la mano, lo que nos permite reducir el estrés. Entonces adoptamos una pose que conocemos de la infancia. A menudo nos sentimos acto seguido mucho mejor. A las mujeres les gusta coger un mechón de su pelo y darle vueltas alrededor del dedo, mientras que los hombres suelen «jugar» con la barba.

Cuando una mujer comienza a peinarse simbólicamente el cabello con las manos, significa que está preocupada o incluso que le invade el temor. Intuitiva como es, tiene una sensación de incomodidad. Esto no tiene necesariamente que ver con la situación, sino que puede referirse a un acontecimiento o a otro lugar. El gesto de peinarse le hace sentirse segura, como ha aprendido desde la infancia: así peinan o trenzan las madres el cabello de sus hijas, y así éstas se sienten atendidas y acogidas. El gesto también tiene un efecto tranquilizador para las madres.

El cabello representa fuerza y vitalidad, de modo que quien se pasa las manos por el cabello tiene todo bajo control o pretende tenerlo. Este gesto es conscientemente afectado, pues promete atraer la máxima atención. Sin embargo, al ser muy ofensivo y preferir nosotros asegurarnos el control de manera menos llamativa, este gesto suele combinarse con la mirada dirigida hacia abajo. La ausencia de contacto visual directo hace que el propósito que se oculta tras el gesto llame menos la atención y parezca inocente.

Nota: *este gesto también tiene sus variantes, en particular, cuando el sujeto no tiene mucho cabello o la persona no quiere echar mano de su peluca.*

Esta imagen es igual de expresiva y simboliza fortaleza. Al abrir además la zona de las axilas se muestra una postura de fuerza, pues allí es donde mana el sudor provocado por el miedo. Al mostrar las axilas, el sujeto viene a decir: «¡Mirad! No tengo miedo. No tengo nada que temer. Todo está bajo control».

MANOS EN LA NUCA

Este gesto denota falta de confianza en uno mismo. Sin embargo, no se trata necesariamente de una persona insegura en general, sino que puede ser un estado momentáneo: la persona en cuestión sólo se siente así en la situación concreta actual. También solemos utilizar este gesto para aliviar el estrés. Un aspecto importante es si el sujeto desvía la mirada. Las fotografías muestran dos ejemplos: si la mirada está dirigida hacia abajo, como en la primera imagen, quiere decir que la confianza en sí misma de esta persona está más seriamente mermada en este momento que en el caso del hombre de la segunda foto, pues incluso evita el contacto visual.

Esta variante muestra un gesto que acentúa todavía más el mensaje del anterior. El «golpe de gracia», las reacciones agresivas o los conflictos internos se dan en muchas situaciones o las causan otras personas. Esta pose defensiva (las manos no se dirigen contra el interlocutor) puede ser el comienzo de una gran depresión o la fanfarria de un contraataque. Aunque amenaza una derrota, todavía no está claro si ésta será aceptada o evitada. Puesto que este gesto no tiene un efecto muy positivo en los demás, a menudo el subconsciente lo combina con el gesto de pasarse la mano por el cabello. De este modo se pretende que el interlocutor no se fije en el aspecto negativo. Cuando se ponen nerviosos o se sienten frustrados, los humanos responden a menudo, igual que los mamíferos, con una reacción física en la nuca, de modo que en situaciones de este tipo se llevan la mano a esa parte del cuerpo.

El gesto de rascarse la nuca es señal de incomodidad emocional, grandes dudas e inseguridad. La persona quiere decir o hacer algo y acto seguido se teme lo peor: «¿Me espera el golpe de gracia? ¿Habrá consecuencias desagradables? ¿Rodará mi cabeza?». En cualquier caso, la reacción verbal que siga deberá abordarse con cautela. Casi siempre se trata de una confesión o de una mentira.

«Mirad, no sudo ni tengo miedo. Aquí soy el más grande. ¡Aquí mando yo!»: eso es lo que expresa la imagen de la derecha, que ya conocemos por la variante similar del gesto de pasarse las manos por el cabello. Los jefes y superiores jerárquicos suelen emplear este gesto en entrevistas y reuniones, ya que simboliza seguridad en sí mismo y es casi exclusivo de los hombres. Aquí uno puede mostrarse expansivo, se siente poderoso. No obstante, el gesto también denota comodidad, aunque sólo si se mantiene durante no más de diez segundos; de lo contrario, se torna negativo y se interpreta como un gesto prepotente.

En mi vida profesional he visto a menudo con mis propios ojos gestos de este tipo de mis superiores y, sin duda, también los he practicado yo como jefe con la misma frecuencia. Este gesto me resultó especialmente desagradable cuando un neurólogo informó a mi padre de que padecía una esclerosis lateral amiotrófica y de que esa enfermedad no tenía remedio. Al tiempo que realizó el gesto, dijo: «¡Se ha buscado usted la peor enfermedad de todas!». El gesto y esas palabras dicen mucho de las cualidades humanas y profesionales del neurólogo. Ya sabemos que los gestos y las palabras a menudo van de la mano.

GESTOS COMPLEMENTARIOS

Esta postura indica que nuestro interlocutor quiere ganar tiempo o escapar de una situación estresante. La patilla de la gafa en la boca indica reflexión, como si esa persona estuviera cavilando sobre el asunto que le planteamos u otra cuestión importante. Sin embargo, eso sólo es lo que parece, pues en realidad este gesto se emplea a menudo inconscientemente para ganar tiempo para la respuesta. Es como si dijera: «Necesito más tiempo o más información para poder tomar una decisión o dar una respuesta», o bien: «En realidad, no quiero opinar sobre ello antes de haber reflexionado detenidamente».

En general se puede decir que siempre que las gafas abandonan el espacio que rodea los ojos dejan de desempeñar su función. Ya no sirven para ver mejor ni para descubrir las intenciones del interlocutor, sino que se convierten en un buen instrumento para «subrayar» una situación (emocional) o bien una idea. El señor de la fotografía de la página siguiente quiere dar la impresión de que está reflexionando y muy atento, cosa que indican también las arrugas en su frente. Está absoluta y plenamente concentrado en el aquí y ahora.

Rascarse la cara es un signo de gran desconcierto: hay algo que no marcha como estaba previsto, se ha producido un imprevisto. La persona afectada no sabe qué responder ni cómo reaccionar, precisa más información o, mejor dicho, más tiempo para dar una respuesta cabal. Si se siente obligada a responder de inmediato, a menudo lo hará con una mentira. Este gesto denota por tanto una gran inseguridad y muchas dudas. Normalmente se lleva a cabo con la mano dominante, es decir, por ejemplo, con la derecha si la persona es diestra.

Quien se frota la cara repetidamente de arriba abajo con una o ambas manos revela que está muy tenso: esta persona se siente muy estresada en ese instante. Este gesto, que no suele ocultarse, se produce especialmente durante actividades que requieren esfuerzo o situaciones estresantes. Realizado de vez en cuando, tampoco merece la pena darle mucha importancia, pero si la persona en cuestión lo ejecuta a menudo, puede ser un signo precursor del «síndrome del trabajador quemado»: esta persona vive y actúa por encima de sus capacidades, y sus reservas de energía tienden a agotarse. Si no reacciona en consecuencia, esto puede debilitar duraderamente su sistema inmunitario.

El mensaje de las manos que se acercan a la cara, pero no la tocan, es ambivalente. Este gesto suele utilizarse para teatralizar o reforzar posturas o bien para resaltar la propia personalidad, pero también puede servir para decirle al interlocutor que uno es sincero: «Mira, no escondo las manos. ¡No tengo nada que ocultar! Puedes confiar en mí». Por otro lado, las manos delante de la cara o cerca de ella pueden revelar asimismo el estado emocional de la persona: ésta desea expresarse más o insistir en algo. Otra posibilidad es que el gesto represente un intento de controlar de este modo las manos, para que éstas no se desplacen a las distintas partes de la cara y delaten las intenciones de la persona.

Epílogo

¿Qué queremos decir cuando «nos llevamos las manos a la cara»? Este gesto equivale a reconocer que no sabemos qué hacer en esa situación, que nos sentimos impotentes y nos gustaría ocultarnos. Pretendemos esconder la cara detrás de las manos para que no se sepa que nos sentimos impotentes, para que no se vea qué está expresando nuestro rostro. Se trata de conservar la máscara que está a punto de caer. Ahora bien, las manos delante de la cara tapan mucho menos de lo que nos gustaría y, de hecho, delatan lo que queríamos esconder.

Después de leer este libro debería estar claro que las manos en la cara no ocultan nada. Al contrario, subrayan una postura, una emoción o un propósito, pues con este gesto todo lo que no se veía pasa a saltar a la vista. Así, los gestos siempre son especialmente reveladores cuando no coinciden emocionalmente con lo que se dice. Éste es el caso, por ejemplo, cuando un interlocutor nos invita con sus palabras a manifestarnos y de este modo a profundizar en un tema desagradable, pero poniéndose simbólica e inconscientemente el dedo índice sobre los labios.

La popular serie de televisión estadounidense «Lie to me» («Miente, si puedes») lleva por subtítulo la frase «Words can lie – Faces don't» (las palabras pueden mentir, los rostros, no).

Yo como lector facial sólo puedo corroborar esta afirmación, añadiendo que también las manos son mensajeras de la verdad. Creemos que podemos controlarlas conscientemente, pero a menudo no son más que el «brazo ejecutor» de nuestro subconsciente.

Acerca del
autor

Eric Standop, licenciado en Pedagogía, inició su carrera profesional en el sector del entretenimiento. Rápidamente logró ascender y ocupó cargos directivos en numerosas empresas, últimamente en el área de los videojuegos. En el apogeo de su desarrollo profesional, la enfermedad y la superficialidad del sector le llevaron a interrumpir abruptamente su carrera. Dejó su empleo y pasó a estudiar, por interés personal, teorías de la nutrición, técnicas de relajación y lectura facial. Viajó por todo el mundo y encontró a un mentor en un viejo y paciente maestro de la lectura facial que le enseñó esas técnicas durante años. Con él aprendió cómo es posible detectar el estado de salud y la alimentación e incluso la personalidad en la cara de cualquier persona. Enriqueció sus conocimientos en otros viajes sucesivos por Sudamérica y Asia, donde entró en relación con otros maestros de su especialidad. Ahora, después de muchos años, Eric Standop asesora y enseña en su calidad de lector de gestos faciales a personas de Europa y Asia, aplicando tanto las técnicas conocidas en Europa como la *siang mien*, la lectura facial china.

CRÉDITOS DE LAS IMÁGENES

Fotografías de la base de datos de imágenes www.shutterstock.com:

ÍNDICE